서석영 글
조금 더 행복하고, 따뜻하고, 재미난 세상을 꿈꾸며 글을 쓰고 있습니다.
그동안 《욕 전쟁》, 《고양이 카페》, 《날아라, 돼지 꼬리!》, 《엄마는 나한테만 코브라》, 《가짜렐라, 제발 그만해!》, 《위대한 똥말》, 《걱정 지우개》, 《착한 내가 싫어》, 《공부만 잘하는 바보》, 《아빠는 장난감만 좋아해》, 《가족을 빌려줍니다》, 《책 도둑 할머니》, 《엄마 감옥을 탈출할 거야》, 《엄마 아빠는 전쟁 중》, 《무지막지 막무가내 폭탄 고양이》, 《베프 전쟁》, 《더 잘 혼나는 방법》, 《나를 쫓는 천 개의 눈》 등 많은 동화를 썼고, 샘터동화상, 한국아동문학상, 방정환문학상을 받았습니다.

조은비후 그림
집 앞에 놓이는 택배 상자가 하루하루 쌓여가면 엄마에게는 치워야 하는 골칫덩이지만, 아이에게는 늘 즐거운 만들기 재료가 됩니다.
상자로 만든 커다란 집에서 하는 숨바꼭질이 값비싼 장난감을 손에 든 것보다 더 큰 웃음을 주곤 합니다.
함께한 상자 놀이를 떠올리며 아들 치환이와 함께 이 책의 그림을 그렸습니다.
그린 책으로 《나만의 수영 배우기》, 《비를 좋아하는 장화》 등이 있습니다.

유치환 그림
장난감 가게보다 엄마 따라가는 남대문 미술 시장이 더 재미있는 호기심 많은 일곱 살 꼬마입니다.
휴지 심이라도 하나 생기면 무얼 만들까 들떠 상상을 시작합니다.
집이 온갖 잡동사니로 가득했으면 좋겠다는 치환이의 유머에 엄마는 쉽게 따라 웃을 수 없습니다.
손안에 들어오는 나만의 작은 그림책 그리기를 좋아합니다.

박스 놀이터
Box Playground

1판 1쇄 | 2023년 1월 25일

글 | 서석영
그림 | 조은비후 · 유치환

펴낸이 | 박현진
펴낸곳 | (주)풀과바람
주소 | 경기도 파주시 회동길 329(서패동, 파주출판도시)
전화 | 031) 955-9655~6
팩스 | 031) 955-9657
출판등록 | 2000년 4월 24일 제20-328호
블로그 | blog.naver.com/grassandwind
이메일 | grassandwind@hanmail.net

편집 | 이영란
디자인 | 박기준
마케팅 | 이승민

값 14,000원
ISBN 978-89-8389-108-2 77810

※ 잘못 만들어진 책은 구입처에서 바꾸어 드립니다.

제품명 박스 놀이터 | **제조자명** (주)풀과바람 | **제조국명** 대한민국
전화번호 031)955-9655~6 | **주소** 경기도 파주시 회동길 329
제조년월 2023년 1월 25일 | **사용 연령** 3세 이상
KC마크는 이 제품이 공통안전기준에 적합하였음을 의미합니다.

⚠ **주의**
어린이가 책 모서리에 다치지 않게 주의하세요.

박스 놀이터

글 서석영 | 그림 조은비후 · 유치환

바우솔

하나, 둘, 셋, 넷 …

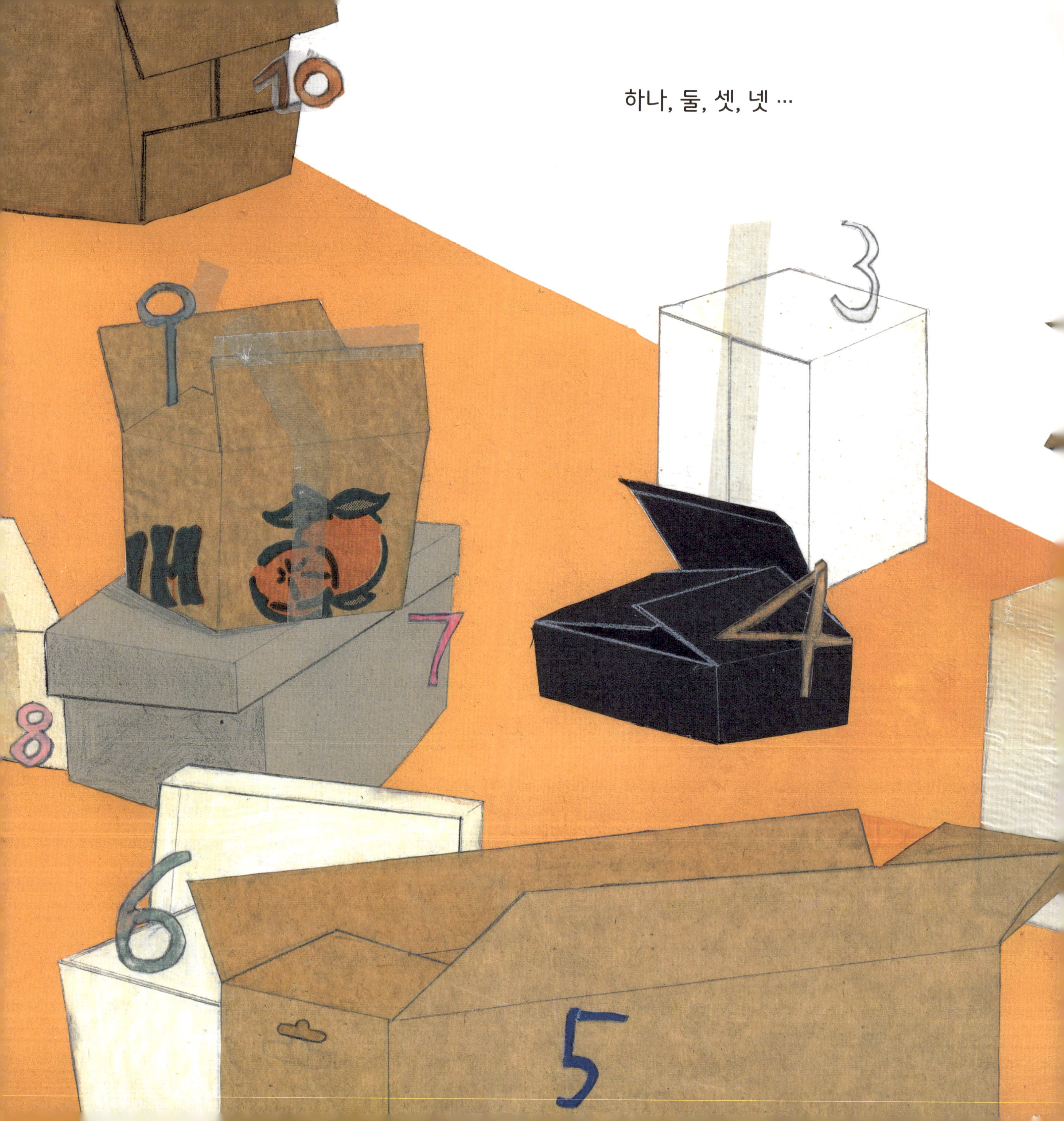

와, 박스 많다.

오늘은 **박스**랑 놀 거예요.

위에 오뚝 앉으면
빙글빙글, 뱅글뱅글 돌아가요.

팽이가 되었다가 놀이터 **뺑뺑이**가 되었다가

머리가 어질어질, 세상이 빙글뱅글 돌아요.

살포시 들어가 앉으면
작은 **내 집**이 되어요.

좁지만
편안하고 아늑해요.

내 집

앞에서 끌면 **썰매**가 되어요.

"달리자, 달려!"

썰매 끄는 아빠도, 썰매 탄 나도
새실새실 웃음이 나와요.

번쩍 들어 올리면
박스 가마, **꽃가마**가 되어요.

두리둥실 두둥실
가마 타는 기분 최고예요.

어야디야 노를 저으면
박스는 배가 되어요.

출렁출렁 파도를 타고
바다로 나가요.

"갈매기야, 안녕?
돌고래야, 안녕?"

"와, 앞에 터널이 나타났다."
캄캄한 터널을 빠져나가자 눈이 반짝,
엄마 **정류장**이 나와요.

"어, **터널**이 또 있네."
2호 터널을 지나자 눈이 반짝, 아빠 정류장이에요.
"깜깜한데 무섭지 않았어?"

3호 터널 밖은 할아버지 **정류장**이에요.
"울 아기, 길을 잃지 않고
잘 왔네."

4호 터널 끝은 할머니 정류장이에요.
"터널을 네 개나 통과하고,
정말 대단한데!"

"잘했으니 **왕관**을 씌워 주자."
박스를 머리에 쓰자
네모 아이가 되어요.

"엄마, 아빠도요."
엄마는 네모 엄마, 아빠는 네모 아빠가 되어요.

"깜깜해서 어지러워요."
"그럼 구멍을 낼까?"
박스에 구멍을 뚫자 **탈**이 되어요.

탈을 쓰자 몸이 저절로 움직여요.
덩실덩실 박스 탈춤을 추어요.

"엄마, 옷처럼 박스를 입어도 돼요?"
"그럼, 안 될 건 없지."
박스 속에 몸을 쏙 밀어 넣어요.

"머리부터 발끝까지 온통 박스네."
"맞아. 완벽한 **박스맨**이 되었어."

"나 잡아 봐라."
"거기 서."
되똥되똥 뒤뚱뒤뚱 도망치고 쫓고 노는데
딩동딩동 벨이 울려요.

택배 아저씨가 **박스**를 들고 서 있어요.

"박스 아저씨, 안녕하세요?"

“하하, 넌 **박스맨**이 되었구나.”

"아저씨, 오늘은 **박스** 안에 뭐가 있어요?"
"글쎄다. 장난감이 들어 있으면 좋을 텐데."
"음… 근데 장난감 아니어도 괜찮아요.
전 박스만 있어도 잘 놀거든요."

별별택

"**박스맨**, 그럼 재미있게 놀고 다음에 만나자~!"

"**박스** 아저씨, 고맙습니다~."

박스 속에
가족들 마음에
그리고 집 안에 고마운 마음이 가득 넘쳐흘러요.